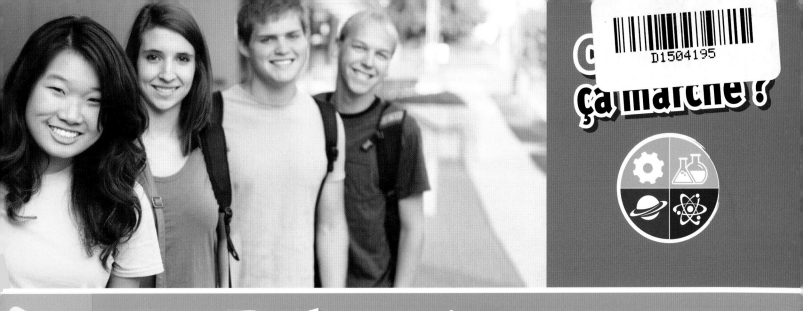

ça marche?

La Puberté

Tout ce que vous avez toujours désiré savoir sur la puberté!

© Les éditions Les Malins inc.

info@lesmalins.ca

Éditeur : Marc-André Audet
Auteure : Catherine Girard-Audet / Catherine Côté
Correcteurs : Fleur Neesham / Diane Gionet
Conception graphique et montage : Shirley de Susini
Crédit photos couverture : Shutterstock.com
Dépôt légal – Bibliothèque et Archives nationales du Québec, 2013
Dépôt légal – Bibliothèque et Archives Canada, 2013

ISBN : 978-2-89657-193-2

Imprimé en Chine

Nous reconnaissons l'aide financière du gouvernement du Canada
par l'entremise du Fonds du livre du Canada pour nos activités d'édition.

Les éditions Les Malins inc.
5967, rue de Bordeaux
Montréal (Québec)
H2G 2R6

Auteure : Catherine Girard-Audet

Catherine Girard-Audet a créé le populaire **ABC des Filles** en 2008, un guide indispensable pour les adolescentes qui a été fortement salué par la critique et les jeunes lectrices. Traductrice de centaines de romans et d'albulms jeunesse ainsi au'auteure de plusieurs livres destinés aux adolescents, **Catherine est la confidente de milliers de Québécoises** qui lui écrivent pour partager leurs pensées et trouver des réponses à leurs questions sur son blogue à **VRAK.TV**.

www.facebook.com/CatherineGirardAudet

La Puberté

TOUT CE QUE VOUS DEVEZ SAVOIR SUR LA PUBERTÉ!

La puberté C'EST QUOI ?

Crédit : 1467728/Shutterstock.com

Crédit : 3318802b/Shutterstock.com

◆ **La puberté, c'est une période de transition où tu passes de l'enfance à l'âge adulte.** Pendant cette période, ton corps se développe beaucoup pour atteindre la maturité et devenir adulte.

◆ Ta personnalité **s'affirme** pendant la puberté, tout comme tes goûts pour les vêtements, la musique, les sports... Tu commences à avoir des idées bien arrêtées sur ce qui t'entoure.

◆ Chez **les filles**, le début de cette période est signalé par les **premières menstruations**, qui ont habituellement lieu entre 9 et 15 ans.

◆ Chez **les garçons**, la puberté arrive entre 10 et 14 ans, mais n'est pas annoncée par un signe aussi concret que dans le cas des filles. Il s'agit plutôt d'une **foule de petits changements** qui s'amorcent en douceur.

◆ La puberté n'entraîne pas les mêmes changements chez tout le monde. En fait, chacun se développe différemment et à un rythme unique.

COMMENT
ça marche ?

Les Hormones

Crédit : 93105277/Shutterstock.com

♦ Tous les changements que tu vis pendant la puberté sont provoqués par ton cerveau, parce que c'est lui qui produit **tes hormones**.

♦ Les hormones sont responsables de ta **poussée de croissance** et du développement de **tes organes sexuels**.

♦ Chez **les garçons**, l'hormone de la puberté est **la testostérone**. Elle permet, entre autres la croissance des organes sexuels et du poil ainsi que la production de sperme.

♦ La testostérone a aussi des **effets sur ton caractère**. Elle peut te rendre plus énergique et agressif. C'est aussi à cause d'elle que tu commences à ressentir du désir sexuel et que ta voix mue.

♦ Chez **les filles**, il y a deux principales hormones de la puberté : **l'œstrogène** et **la progestérone**. C'est cette dernière qui enclenche le développement des ovaires et l'apparition des menstruations.

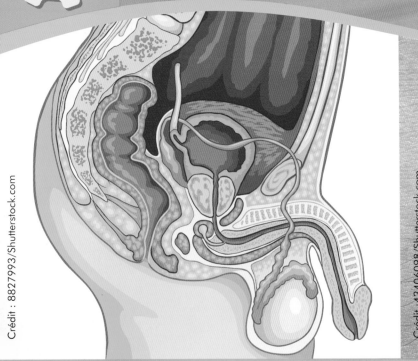

Crédit : 8827993/Shutterstock.com

Crédit : 43406098/Shutterstock.com

◆ Tes organes génitaux commencent à se développer, lors de la puberté, parce que la testostérone enclenche la formation de **spermatozoïdes**.

◆ La production de spermatozoïdes se fait dans tes **testicules**, ce qui les fait grossir. La peau qui les entoure, le **scrotum**, devient aussi plus foncée.

◆ **À cause de la testostérone, ton pénis grandit et ton gland devient plus gros.**

◆ La testostérone fait **pousser du poil** sur ton torse, tes jambes et sous tes aisselles. Des poils pubiens vont aussi apparaître autour de tes parties génitales.

◆ Pendant la puberté, une autre partie de ton corps subit un changement considérable : tes cordes vocales! À cause des hormones, elles s'épaississent et ta voix devient plus grave. Ça s'appelle la **mue**.

COMMENT
ça marche ?

Le corps des filles à l'adolescence

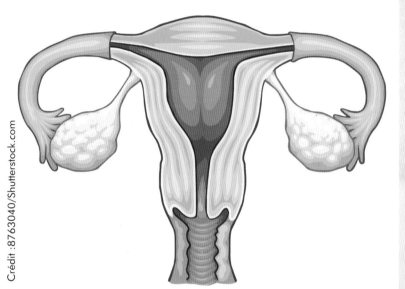

Crédit :8763040/Shutterstock.com

Crédit :32910529/Shutterstock.com

♦ Pendant la puberté, **ton bassin s'élargit** et **tes seins** commencent à **pousser**. Ton corps change pour qu'un jour, tu sois capable d'avoir des enfants.

♦ Les hormones stimulent la **pilosité**. Du poil commence alors à pousser sous tes aisselles et sur tes jambes.

♦ **Tes organes génitaux changent** aussi énormément. À l'extérieur de ton corps, ton pubis se recouvre de poils qui protègent tes parties génitales.

♦ À l'intérieur de ton corps, **tes ovaires et tes trompes de Fallope commencent à produire des ovules**. Il s'agit d'une petite cellule fertile qui, quand elle est pénétrée par un spermatozoïde, se développe pour devenir un bébé.

13

La cellulite et les vergetures

Crédit : 12465487/Shutterstock.com

Crédit : 91484330/Shutterstock.com

- À l'adolescence, ton corps connaît une poussée de croissance rapide et il arrive que **la peau s'étire** trop rapidement et que tu développes **des vergetures**.

- Bien qu'on ait tendance à penser que les vergetures sont uniquement un problème de filles, plusieurs garçons en développent sur le ventre et sur les jambes en grandissant.

- Une vergeture est une **petite strie rouge** qui apparaît sur la peau lorsque celle-ci n'arrive pas à s'étirer assez vite pour la vitesse de croissance du corps. Les vergetures sont rouges au début, mais blanchissent avec le temps, jusqu'à devenir pratiquement invisibles.

- **La cellulite**, aussi appelée **peau d'orange**, est causée par l'inflammation des cellules graisseuses situées sous la peau. Elle touche principalement les filles et, en moindre proportion, les garçons. Environ **9 femmes sur 10 font de la cellulite** au cours de leur vie.

COMMENT ça marche?

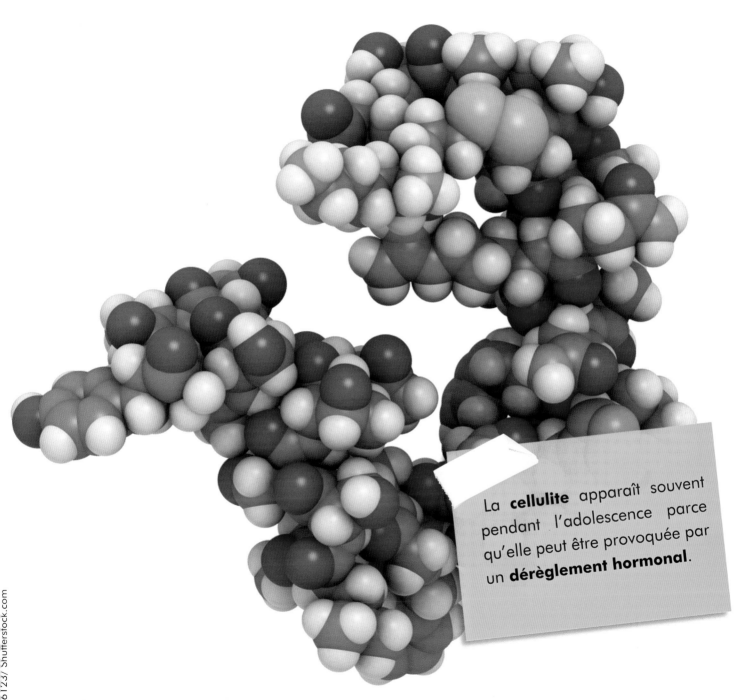

La **cellulite** apparaît souvent pendant l'adolescence parce qu'elle peut être provoquée par un **dérèglement hormonal**.

COMMENT
ça marche ?

Les menstruations

Crédit : 20582660/Shutterstock.com

Crédit : 37430554/Shutterstock.com

- Tous les mois, **la couche de muqueuse** à l'intérieur de ton utérus **s'épaissit** afin de **nourrir l'ovule fécondé par un spermatozoïde**. À la fin du mois, si l'ovule n'a pas été fécondé, la muqueuse s'écoule hors de ton corps sous forme de saignements. Ce sont les menstruations.

- **Le cycle menstruel est d'environ 28 jours**, mais il varie parce que les hormones qui le provoquent sont sécrétées différemment chez chaque fille. Il peut être long ou court, régulier ou imprévisible.

- Le **syndrome prémenstruel**, ou SPM, accompagne souvent les menstruations. Il s'agit d'un débalancement des hormones qui peut causer **une grande fatigue, de brusques changements d'humeur et de l'insomnie**.

- Certaines filles ressentent aussi **des douleurs physiques** durant leurs menstruations, comme des maux de tête et des crampes.

Lors de cette période, assures-toi de bien **te reposer, de bien manger et de faire de l'exercice**. Ça permet d'atténuer les douleurs abdominales.

COMMENT ça marche ?

Les serviettes hygiéniques et les tampons

- Lors de tes menstruations, il est très important de porter **une protection hygiénique** pour ne pas tacher tes sous-vêtements.

- Il existe deux sortes de protection : **les serviettes hygiéniques** et **les tampons**. La serviette hygiénique se colle dans le fond de la culotte. Le tampon, quant à lui, s'insère dans le vagin.

- De nos jours, **les serviettes hygiéniques** sont **très minces** et **confortables**. Même si elles sont très absorbantes, il est important de changer de serviette hygiénique toutes les deux ou trois heures afin d'éviter les fuites.

- Les tampons aussi sont discrets et confortables. Ils sont disponibles en différents formats pour tous les types de flux menstruel.

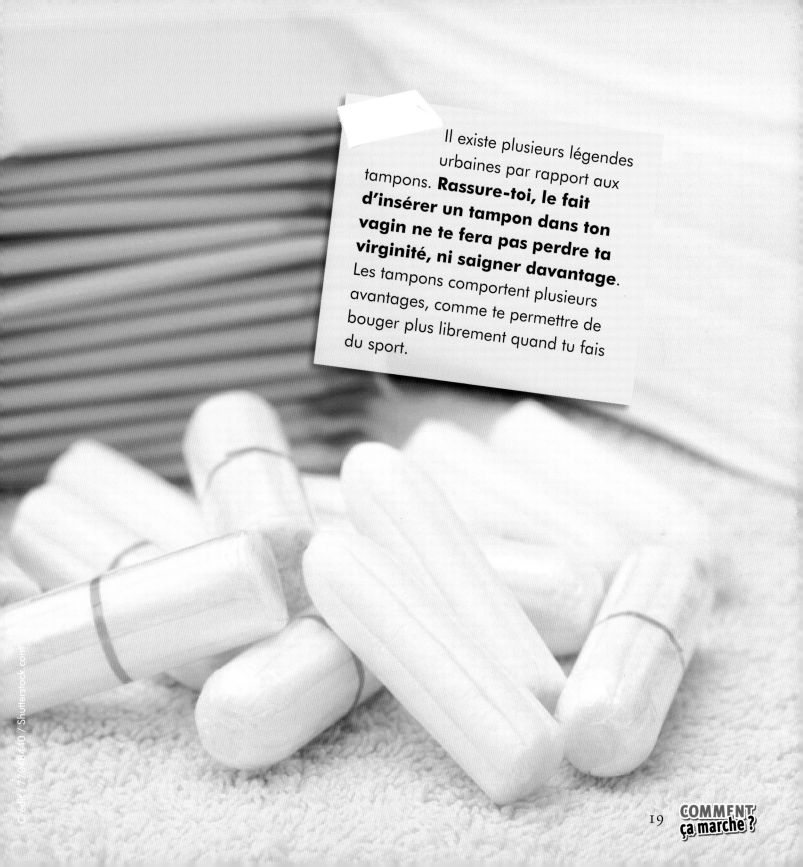

Il existe plusieurs légendes urbaines par rapport aux tampons. **Rassure-toi, le fait d'insérer un tampon dans ton vagin ne te fera pas perdre ta virginité, ni saigner davantage.** Les tampons comportent plusieurs avantages, comme te permettre de bouger plus librement quand tu fais du sport.

COMMENT ça marche ?

La pilosité

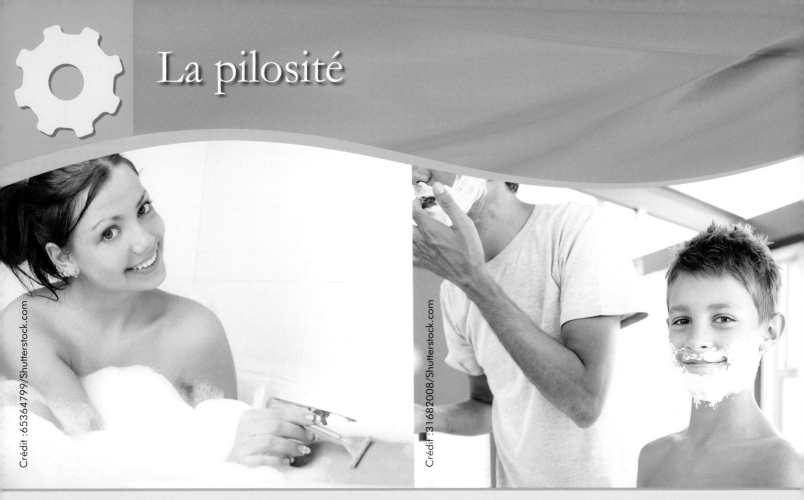

Crédit :65364799/Shutterstock.com

Crédit :31682008/Shutterstock.com

- Chez les garçons comme chez les filles, lors de la puberté, du **poil commence à pousser** sur **les jambes**, **sous les bras** et **autour des parties génitales**.

- Pour les garçons, c'est aussi à ce moment-là que commence à se développer **la barbe** et que l**e torse d**evient plus poilu.

- La texture, la quantité et la couleur des poils sont déterminées par les hormones et par l'**hérédité**.

Ainsi, il est probable que ta pilosité ressemble à celle des membres de ta famille du même sexe que toi.

- Si tu veux couper tes poils, tu peux utiliser **un rasoir**. Pour commencer, il est préférable d'en choisir un à plusieurs lames parce que le rasage s'effectue alors plus près de la peau et tu as moins de chances de te couper.

Avant de te raser, il est bien important de **mouiller** ta peau et de la **savonner** ou d'appliquer un **gel à raser**. Comme ça, le rasoir glissera plus facilement, coupant les poils et non la peau !

COMMENT **ça marche?**

Les seins

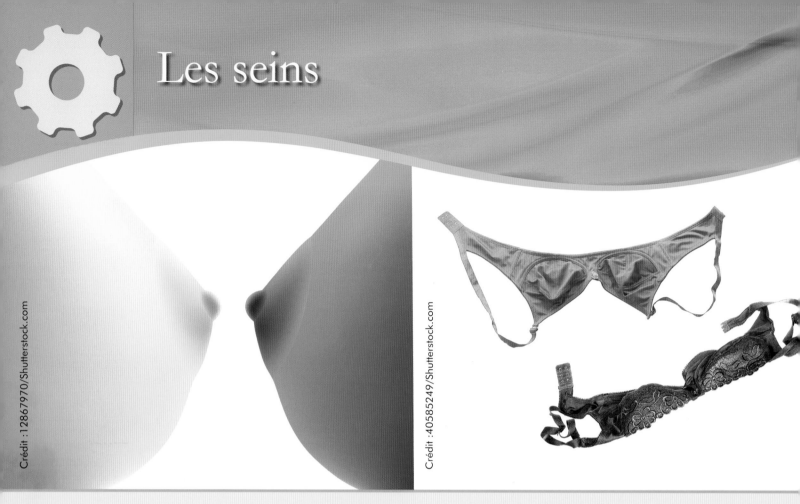

Crédit : 12867970/Shutterstock.com

Crédit : 4058524 9/Shutterstock.com

- Le développement des seins varie d'une fille à l'autre. Certaines commencent à avoir **des seins** à **8 ans**, alors que chez d'autres, ce changement s'opère vers **13 ou 14 ans**.

- Tes seins grandissent parce que tes **glandes mammaires** commencent à se développer. C'est dans celles-ci que le **lait maternel** est produit pendant la grossesse.

- Comme tous les autres changements que tu traverses lors de la puberté, la croissance de tes seins est unique. Certains se développent très rapidement et d'autres moins, tout comme certaines filles ont une très grosse poitrine et d'autres une poitrine menue.

- Lorsque tes seins poussent, il est possible qu'ils deviennent **plus sensibles** et que tu ressentes des **picotements**. Évidemment, cette sensation ne durera pas toujours.

Il se peut aussi que chacun de tes seins **ne se développe pas à la même vitesse**, mais la différence va finir par s'atténuer aux alentours de tes 16 ans, une fois que leur croissance sera terminée.

COMMENT ça marche ?

L'alimentation

Crédit : 21222340/Shutterstock.com

Crédit : 17154961/Shutterstock.com

- Une **alimentation saine** est cruciale parce qu'elle te **procure l'énergie** dont tu as besoin pour grandir !

- Selon le Guide alimentaire canadien, **les filles doivent consommer 2 000 calories par jour** pour fonctionner à plein régime, tandis que **les garçons doivent en consommer environ 2 300.**

- Bien entendu, le nombre de calories que tu dois consommer tous les jours dépend de ton mode de vie. Si tu es très actif ou active, il se peut que tu aies à consommer un peu plus de calories pour être en santé. Si c'est le contraire, par contre, il se peut que tu n'aies pas besoin d'en consommer autant.

- Toujours selon le Guide alimentaire canadien, il faut que tu consommes de **six à huit portions de fruits et légumes par jour**, **six à sept portions de produits céréaliers**, **trois à quatre portions de produits laitiers** et **une à trois portions de protéines.**

De façon générale, il est préférable que tu **limites ta consommation de boissons gazeuses et de malbouffe**. Ces aliments contiennent peu de nutriments nécessaires à ta croissance et ont tendance à nuire à ta santé.

COMMENT ça marche ?

Alimentation (suite)

Crédit : 113909878/Shutterstock.com

Crédit : 752142119/Shutterstock.com

- Voici quelques trucs qui pourraient t'aider à **manger de façon saine et équilibrée** !

- Il est conseillé de manger **plusieurs petits repas** durant la journée. Comme ça, tu fais souvent le plein d'énergie et ça t'évite d'avoir trop faim entre les repas.

- **Ne saute surtout pas le petit déjeuner**. C'est un repas essentiel pour le bon fonctionnement de ton métabolisme. Quand tu te réveilles, ça fait plus de 12 heures que tu n'as pas mangé et ton corps a besoin de carburant pour commencer sa journée.

- **Remplace le pain blanc par du pain brun**. C'est une toute petite différence, mais c'est vraiment meilleur pour la santé. Tu peux aussi faire de même avec les pâtes et le riz.

- Opte pour des **produits laitiers écrémés**. Certains produits, comme le lait et le yogourt, sont disponibles avec des pourcentages de gras inutilement élevés. Consommer des produits laitiers allégés est aussi bon au goût et meilleur pour ta santé !

Privilégie les viandes blanches et **le poisson** dans tes repas. La viande rouge, comme le bœuf, contient beaucoup plus de gras que les viandes blanches et ne te fournit pas beaucoup plus d'énergie.

COMMENT ça marche?

Les troubles alimentaires

Crédit :3050628/Shutterstock.com

Crédit :43157545/Shutterstock.com

♦ Même si c'est important de manger sainement et de façon équilibrée, ça ne veut pas dire que tu dois tomber dans les extrêmes et devenir obsédé par la minceur. Durant la puberté, ton corps se développe très vite et il a besoin de carburant pour fonctionner, et c'est pourquoi les régimes extrêmes sont si dangereux pour la santé.

♦ **L'anorexie** et **la boulimie** sont les **deux troubles alimentaires les plus fréquents à l'adolescence**. Même si l'on croit souvent que ce ne sont que les filles qui en souffrent, environ 10 % de tous les adolescents anorexiques sont des garçons.

♦ Être anorexique, c'est adopter des **habitudes alimentaires malsaines** par peur de prendre du poids. **L'anorexie** est un véritable **trouble mental**, et non pas seulement un comportement inquiétant.

♦ Un anorexique peut **se faire vomir** ou encore **s'entraîner de manière excessive** par peur de prendre du poids. Certains anorexiques choisissent même de ne plus manger du tout, ce qui est encore plus dangereux pour la santé.

Les anorexiques ont tendance à avoir une image déformée de leur propre corps. Ils sont incapables de se voir tels qu'ils sont et sont obsédés par leur poids. Pourtant, la beauté n'est pas synonyme de minceur ; le fait d'être bien dans sa peau importe beaucoup plus qu'un chiffre sur une balance.

COMMENT
ça marche ?

Les troubles alimentaires (suite)

◆ Bien que l'anorexie soit le trouble alimentaire le plus commun chez les adolescents, il en existe d'autres, comme **la boulimie**.

◆ La **boulimie** se caractérise par un **besoin incontrôlable de manger** qui est **suivi par des comportements inappropriés** pour ne pas prendre du poids, comme des vomissements ou la prise de laxatifs.

◆ Comme l'anorexie, la boulimie est une **véritable maladie**. Les comportements qu'elle engendre sont aussi **dangereux** que ceux associés à l'anorexie.

◆ Si tu te reconnais dans un de ces **troubles alimentaires**, il est primordial que tu en parles à un médecin ou à un membre de ta famille pour **te faire soigner** et apprendre à **contrôler tes angoisses** par rapport à la nourriture.

Si tu crois qu'une personne de ton entourage en souffre, essaie de lui en parler calmement, sans l'accuser de quoi que ce soit ou formuler de jugements. Si la personne refuse de faire face à la réalité, tu peux demander **l'aide d'un psychologue** qui pourrait te donner des trucs pour intervenir auprès de ton ami ou amie.

COMMENT
ça marche ?

L'hygiène

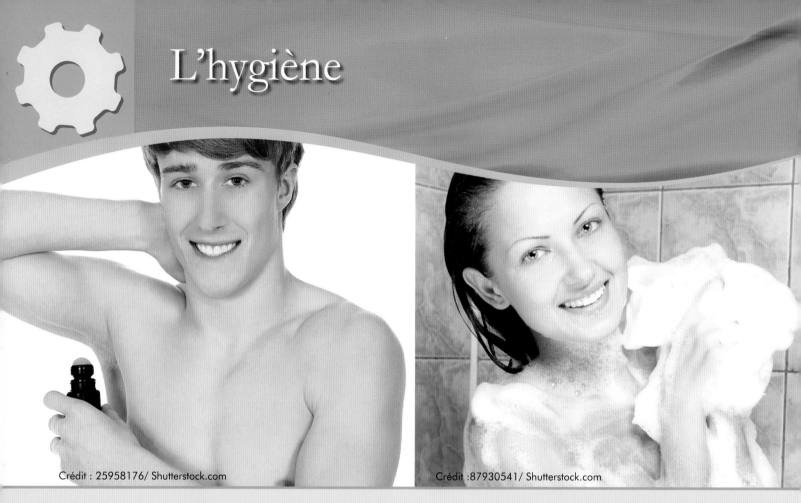

Crédit : 25958176/ Shutterstock.com

Crédit :87930541/ Shutterstock.com

- L'arrivée de la puberté entraîne toutes sortes de changements et il est normal que **tu transpires** un peu plus qu'avant. Il est important d'adapter ta routine d'hygiène en conséquence.

- Une **bonne hygiène** commence par des **vêtements propres** ; n'oublie pas de changer de **sous-vêtements** tous les jours et de **laver tes vêtements** régulièrement !

- Il faut bien **laver tes aisselles** et **tes parties génitales**, puisque c'est là que se concentrent principalement les glandes qui produisent la sueur.

- Il est aussi important de **nettoyer tes poils pubiens** pour éviter que des bactéries ne s'y logent.

- Pour tes aisselles, tu peux utiliser un **déodorant**, mais il est préférable de ne pas utiliser d'**antisudorifique** contenant des **produits chimiques** parce qu'à long terme, ça pourrait être dangereux pour ta santé.

COMMENT
ça marche ?

L'hygiène (suite)

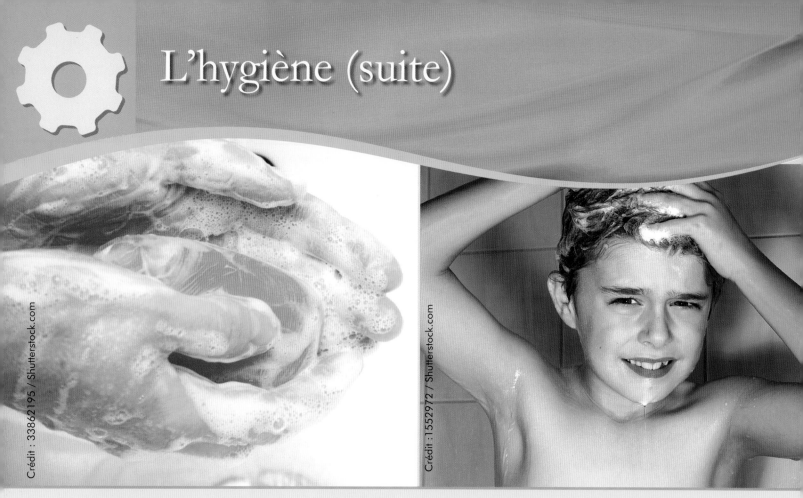

Crédit : 33862195 / Shutterstock.com

Crédit : 1552972 / Shutterstock.com

- Une bonne routine d'hygiène commence par **des mains propres**! N'oublie pas de les laver fréquemment avec un **savon doux**.

- Avoir les mains propres permet d'éviter d'attraper des maladies qui se transmettent par l'air et par le contact entre les gens, comme le rhume.

- Vers 12 ou 13 ans, tes dents d'adulte arrêtent de pousser. Ce sont désormais celles que tu vas avoir toute ta vie et il est important que tu les brosses **deux** à **trois fois** par jour pour qu'elles restent belles toute ta vie!

- Lors de la puberté, tes glandes se mettent à produire plus de **sébum**, ce qui peut causer **des boutons** et rendre **tes cheveux plus gras**. Pour cette raison, il est important de te **laver les cheveux tous les deux jours**.

- Ce n'est **pas une bonne idée** de te **laver les cheveux tous les jours**, voire plusieurs fois par jour, ça pourrait **irriter ton cuir chevelu** et enclencher une **production excessive de sébum**.

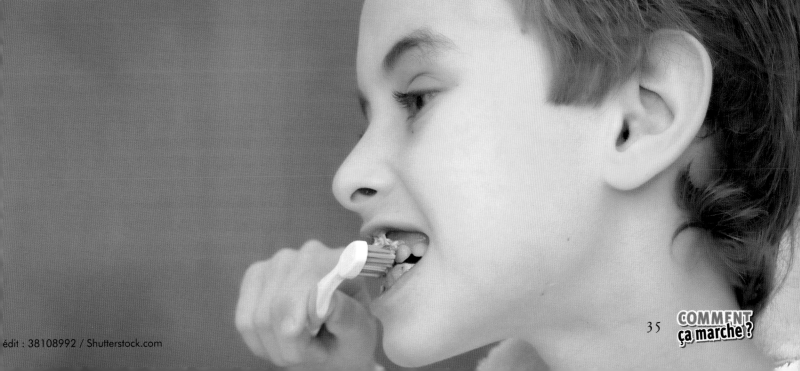

COMMENT
ça marche ?

Le sommeil

Crédit : 2888087 / Shutterstock.com

Crédit : 4477510 / Shutterstock.com

◆ Au cours de tes années de puberté, ton corps change beaucoup et c'est normal que ça te **fatigue**. Tu as **besoin de bien dormir** et de **te reposer** pour faire le plein d'énergie.

◆ Quand tu es fatigué, tu peux avoir de la difficulté à te concentrer et à passer à travers ta journée. Quand tu es bien reposé, par contre, tu es plus motivé et tu débordes d'énergie, d'où l'importance d'une bonne nuit de sommeil !

◆ Entre 8 et 15 ans, tu as besoin de **8 à 10 heures de sommeil par nuit** pour être pleinement reposé.

◆ Chaque jour, **prends le temps de relaxer** et de **faire le vide**. Tu peux lire ou prendre un bon bain chaud. Non seulement ça t'aidera à dormir, mais ça te permettra aussi d'oublier tes soucis et de te sentir plus léger !

◆ **Avoir de bonnes habitudes de sommeil aide à vaincre le stress**. En période d'examen, il est important que tu prennes du temps pour relaxer entre tes périodes d'étude

COMMENT
ça marche ?

Les broches

Crédit : 37611226 / Shutterstock.com

- À la puberté, une fois que toutes tes **dents adultes** ont fini de pousser, il arrive que tu doives porter des broches. Il s'agit d'**un appareil orthodontique** qui **redresse les dents**. Le processus peut prendre entre un an et trois ans et demi et le résultat est permanent.

- Quand il pose tes broches, l'orthodontiste **colle** sur chacune de tes dents un **petit carré métallique**. Au milieu du carré, il y a un trou dans lequel il passe ensuite un minuscule fil de fer.

- Régulièrement, l'orthodontiste doit **resserrer** ton fil pour faire bouger tes dents afin qu'elles deviennent droites. Ce processus est un peu inconfortable, mais la sensation s'atténue très rapidement

- À la fin de ton traitement, le dentiste enlève tes broches et colle un fil de fer très mince derrière tes dents pour qu'elles ne bougent plus. Par la suite, tu auras **un beau sourire** et les dents droites pour le reste de ta vie !

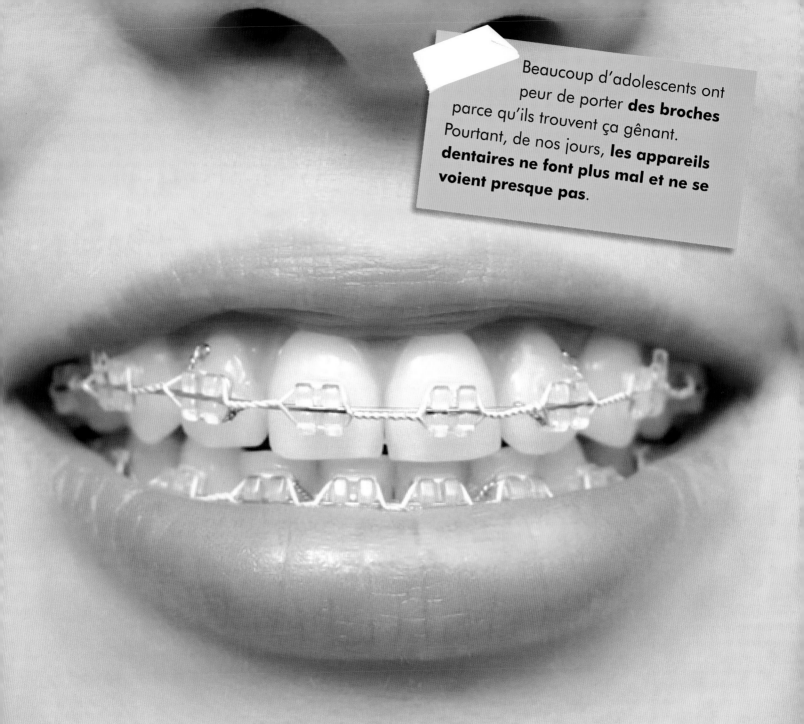

Beaucoup d'adolescents ont peur de porter **des broches** parce qu'ils trouvent ça gênant. Pourtant, de nos jours, **les appareils dentaires ne font plus mal et ne se voient presque pas.**

COMMENT ça marche ?

L'acné

- Qu'il s'agisse de **crises sévères** ou de **quelques boutons** juste avant les menstruations, la plupart des adolescents font de l'acné à un moment ou à un autre.

- L'acné juvénile est principalement due à une **surproduction de sébum** qui bloque les pores de peau. Les **points noirs** apparaissent quand **les pores sont bloqués par le sébum**. Lorsqu'ils s'infectent, ça fait un bouton.

- Si tu as un bouton, tu pourrais avoir tendance à vouloir le faire éclater le plus vite possible. Pourtant, ce n'est pas une bonne habitude à prendre parce que ça rend ta peau plus fragile et propice au développement des boutons.

- Si tu as de l'acné sévère que tu n'es pas capable de soigner seul, n'hésite pas à consulter un **dermatologue**.

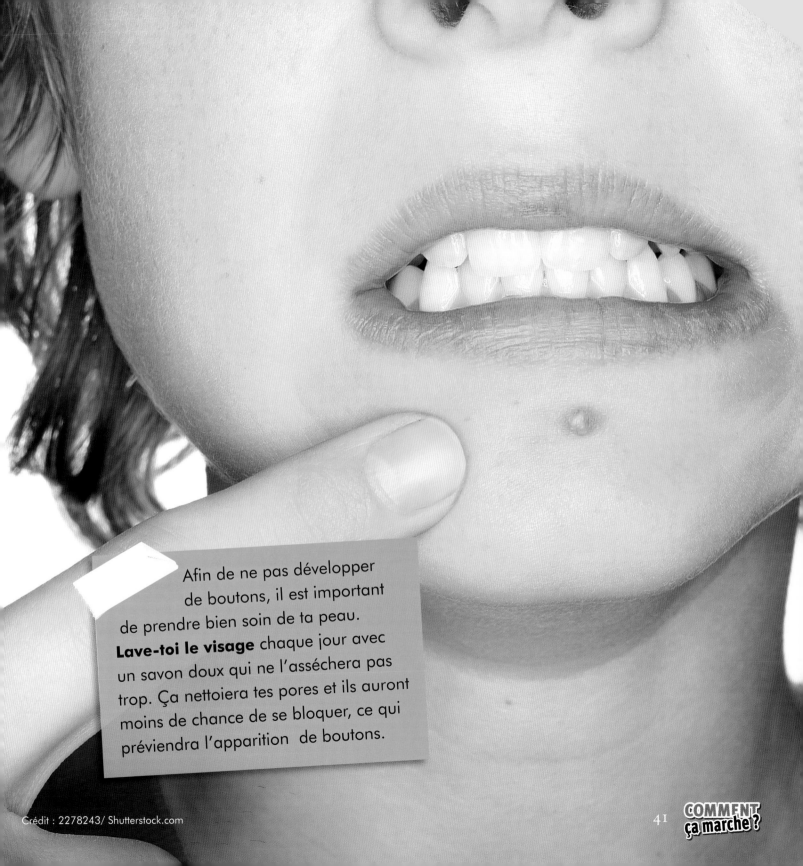

Afin de ne pas développer de boutons, il est important de prendre bien soin de ta peau. **Lave-toi le visage** chaque jour avec un savon doux qui ne l'asséchera pas trop. Ça nettoiera tes pores et ils auront moins de chance de se bloquer, ce qui préviendra l'apparition de boutons.

COMMENT ça marche ?

La sexualité

◆ Avec la puberté vient **l'éveil de ta sexualité**. À cause du **développement de tes organes sexuels**, tu commences à ressentir de **l'attirance physique** et du **désir**. Ce désir peut parfois être si fort que tu en ressens les effets dans ton corps.

◆ Chez la **fille**, le **désir** peut-être accompagné de **picotements** dans le bas-ventre, d'un **durcissement des mamelons** et d'une **humidification du vagin**.

◆ Chez les **garçons**, le désir peut provoquer **des érections**. Lors d'une érection, le pénis, qui est entouré de tissus érectiles qui se gorgent de sang lorsqu'ils sont stimulés, devient **raide**.

◆ À cause du désir, il se peut que tu ressentes l'**envie d'explorer ta sexualité** et que tu aies du plaisir en **touchant tes organes génitaux**. C'est ce qu'on appelle la **masturbation**.

Dans notre société, il s'agit encore d'un sujet tabou et les gens en général en parlent peu. Pourtant, beaucoup de garçons et de filles s'y adonnent, et il n'y a aucune honte à le faire. En fait, il s'agit d'une étape cruciale de ton **cheminement sexuel**, car la masturbation te permet d'apprendre à **mieux connaître ton corps** et de savoir ce qui te plaît ou non.

COMMENT ça marche ?

L'orientation sexuelle

Crédit : 15245755 / Shutterstock.com

- **L'hétérosexualité**, c'est quand on éprouve de l'**attirance pour quelqu'un du sexe opposé**, et l'**homosexualité**, c'est quand on **ressent du désir pour une personne du même sexe**.

- À la puberté, **il est normal de se sentir confus** par moments, et si tu éprouves de l'admiration pour une personne du même sexe que toi, ça ne veut pas dire que tu sois homosexuel.

- En vieillissant, ton orientation sexuelle se concrétisera. Quoi qu'il en soit, il ne faut **pas avoir honte de tes préférences**, car elles font partie de ton identité.

- De nos jours, les gens sont beaucoup plus ouverts par rapport à l'homosexualité, alors tu n'as pas à t'inquiéter des réactions de ton entourage. Les gens qui t'aiment ne cesseront pas de t'aimer simplement à cause de ton orientation sexuelle.

Tu n'as pas à te sentir coupable d'être différent. Tu es loin d'être seul ou seule dans cette situation. Le premier pas vers le bien-être est d'apprendre à t'aimer tel que tu es et de faire en sorte d'être toujours bien dans ta peau.

COMMENT
ça marche?

La contraception

- La **contraception** sert à **éviter les grossesses non voulues** et **protège** des infections transmissibles sexuellement, ou ITS.

- Le contraceptif le plus commun est le **préservatif**, ou **condom**.

- Il existe aussi **des contraceptifs oraux**, comme la **pilule contraceptive**. Il s'agit d'une petite pilule qui renferme **des hormones** qui **empêchent l'ovulation** et donc la **grossesse** : si le corps ne produit pas d'ovules, ceux-ci ne peuvent pas être fécondés par les spermatozoïdes.

- **La pilule contraceptive ne protège pas contre les ITS**, alors il est important d'utiliser aussi un **condom** même lorsqu'on prend la pilule.

- La **pilule contraceptive**, en interférant avec le cycle menstruel normal des filles, peut aussi avoir comme effet d'**atténuer les effets du syndrome prémenstruel** ou même **les crampes** ressenties pendant les menstruations.

Le contraceptif le plus commun est le **préservatif**, ou **condom**. C'est **le seul qui protège contre le VIH**. Le VIH est le virus d'**immunodéficience humaine**, qu'on appelle aussi le **sida**.

COMMENT ça marche ?

Le VIH

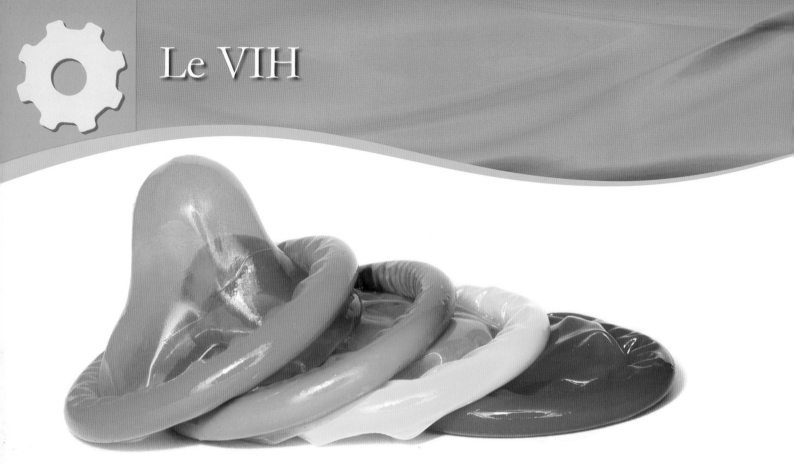

Crédit : 43559275 / Shutterstock.com

- Il est très important d'utiliser un **condom** à chaque relation sexuelle puisqu'il s'agit du seul moyen de protection contre le **VIH**, ou **virus d'immunodéficience humaine**. C'est **le virus du sida**.

- Le **VIH** se transmet par **le sperme**, le sang ou **les sécrétions vaginales**. Il peut donc être transmis lors de **relations sexuelles**, mais aussi par l'utilisation de seringues usagées.

- Une personne peut contracter le VIH sans en ressentir les effets. Cette personne devient **séropositive**, ce qui veut dire qu'elle peut transmettre le virus même si elle n'en éprouve pas les symptômes.

- Lorsque quelqu'un le contracte, le **VIH** s'attaque à **ses anticorps** et les **détruit entièrement**. Ça affaiblit tellement le corps que celui-ci n'est plus en mesure de combattre mêmes les plus petites infections. Alors, lorsqu'on souffre du sida, on peut mourir de maladies qui sont inoffensives dans d'autres contextes, comme le rhume.

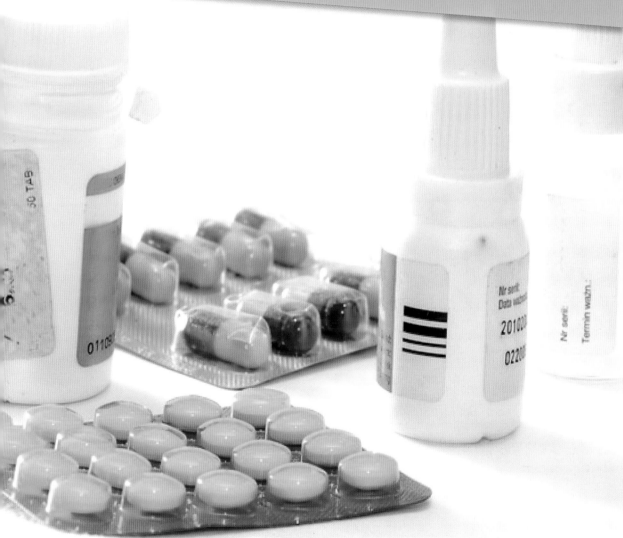

À ce jour, il n'existe **pas de moyen de guérir le sida**. Les chercheurs n'ont réussi qu'à trouver des antibiotiques qui contrôlent ses effets momentanément sans détruire le virus. Ces antibiotiques doivent être pris quotidiennement, et toute la vie durant, pour éviter l'apparition des symptômes.

COMMENT ça marche ?

La drogue et la cigarette

Crédit : 42276028 / Shutterstock.com

Crédit :Doug Baines / Shutterstock.com

- La **cigarette** est un **fléau** qui te guette particulièrement quand tu es jeune parce que tu es plus influençable et plus enclin à faire de nouvelles expériences.

- La **cigarette** est **mauvaise** pour la **santé**, pour **l'esprit** et pour **le portefeuille** parce qu'elle entraîne une **forte dépendance** et de nombreux problèmes de santé, dont l'**emphysème** et le **cancer**.

- Les **drogues** sont une autre source de danger à laquelle tu risques de devoir faire face durant la puberté. Elles causent une **dépendance physique** et **psychologique** en un rien de temps et ont des effets **très nocifs** sur le cerveau, le cœur et l'esprit.

- Il existe deux sortes de drogue : les **drogues dures** et les **drogues douces**, ou **lentes**. Les drogues douces, comme la marijuana, causent des pertes de mémoire, de l'anxiété et une lenteur accrue dans les réactions et les mouvements. Les drogues douces peuvent aussi provoquer une **dépression** chez les gens qui sont sujets à développer ce genre de maladie.

Les **drogues dures**, comme la **cocaïne** et l'**héroïne**, provoquent des **troubles anxieux** et **dépressifs**, des **problèmes cardiaques** et de l'**insomnie**. Elles créent aussi une très **forte dépendance** qui, parce qu'elles sont **très coûteuses**, pousse souvent les gens à voler pour s'en procurer.

COMMENT
ça marche ?

L'activité physique

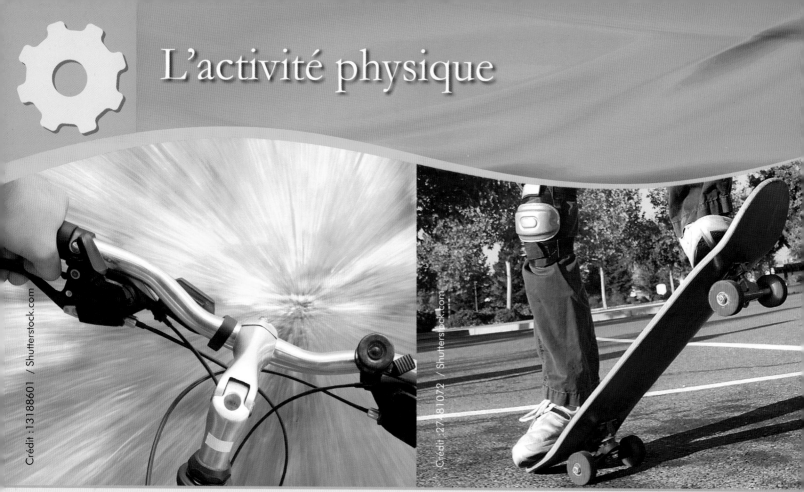

Crédit : 13188601 / Shutterstock.com

Crédit : 27481072 / Shutterstock.com

◆ Il est **important de bouger** et de **faire du sport** pour **dépenser de l'énergie**, rester en forme et te sentir mieux dans ta peau.

◆ Le sport permet de **se défouler** et de **réduire le stress**, ce qui te fera mieux dormir la nuit et te permettra d'être **plus concentré** tout au long de la journée.

◆ Faire du sport comporte une foule de **bienfaits** pour la santé ! Par exemple, faire de l'exercice permet d'**améliorer ton cardio**, **ta flexibilité** et **ta musculation**.

◆ Si tu souhaites t'entraîner sans nécessairement avoir à t'abonner à un gym ou à joindre une équipe sportive, sache qu'il est facile d'intégrer des activités physiques à ta routine !

◆ Pour garder la forme, il suffit de **bouger pendant une heure par jour**. Tu peux faire du vélo, de la course, prendre une marche… en autant que tu bouges ! Tu n'as pas besoin de faire ton heure d'un seul coup, non plus ; tu peux facilement la séparer en plusieurs blocs !

COMMENT
ça marche?

Le sport

Crédit :36455449 / Shutterstock.com

Crédit :16700368 / Shutterstock.com

- Il existe de **nombreux sports** qui se pratiquent **individuellement** ou **en équipe**, pour tous les goûts et tous les caractères !

- Dans la catégorie des sports individuels, on retrouve le jogging, la gymnastique, le yoga et la marche. Ces sports te permettent de décrocher complètement de ton quotidien et de passer du temps seul. Tu peux aussi en profiter pour écouter de la musique !

- Si tu préfères les sports d'équipe parce qu'ils te permettent de t'amuser et de passer un bon moment avec tes coéquipiers, tu peux opter pour le soccer, le baseball, le basketball ou le volleyball.

- N'hésite pas à aller vers des sports plus originaux, comme les arts martiaux, la boxe, le plongeon, l'athlétisme… L'important, c'est que tu trouves **une activité qui te plaise** et qui te permette d'**avoir du plaisir tout en prenant soin de toi** !

Les arts martiaux asiatiques sont de plus en plus répandus en Amérique du Nord. Si tu te renseignes, il est certain que tu pourrais trouver un endroit qui offre des cours de judo ou de karaté tout près de chez toi !

COMMENT ça marche?

Les complexes

Crédit : 41904538 / Shutterstock.com

Crédit : 17794231 / Shutterstock.com

◆ Pendant l'**adolescence**, le **corps change** extrêmement rapidement. Il est tout à fait normal d'être dérouté par ces changements soudains et de ne pas savoir comment réagir par rapport à son nouveau corps.

◆ **Accorder trop d'attention à nos complexes peut avoir des conséquences très néfastes**. Par exemple, si tu as peur de ce que les autres peuvent penser de ton apparence, il se peut que tu décides d'éviter des situations sociales particulières et que cela ternisse ta confiance en toi.

◆ Tout le monde est différent, et c'est pourquoi il est inutile de se comparer aux autres. De nos jours, les médias véhiculent des images de filles et de garçons au physique parfait, ce qui peut être très intimidant. Il est important que tu comprennes que, dans les médias, la plupart des images sont retouchées par ordinateur. Ce ne sont pas des photos réalistes ni des standards de beauté sains à entretenir.

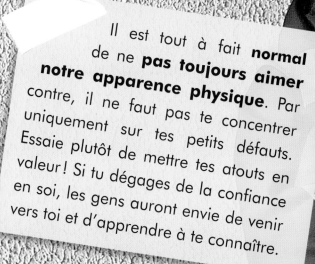

Il est tout à fait **normal** de ne **pas toujours aimer notre apparence physique**. Par contre, il ne faut pas te concentrer uniquement sur tes petits défauts. Essaie plutôt de mettre tes atouts en valeur! Si tu dégages de la confiance en soi, les gens auront envie de venir vers toi et d'apprendre à te connaître.

Les choses changeront beaucoup, au cours des prochaines années. Si tu as l'impression que ton corps ne t'appartient plus, ne désespère pas. Donne-toi le temps de t'y faire.

57

COMMENT ça marche?

Les bandes d'amis

Crédit : 27124834 / Shutterstock.com

- Si tu as une **bande d'amis**, tu veux sans doute leur ressembler. Après tout, il s'agit de gens que tu connais et admires, alors il est normal d'essayer de les imiter dans ton style vestimentaire et dans tes goûts.

- Malheureusement, ce désir d'appartenir à une bande d'amis peut parfois te donner l'impression que tu n'es pas libre d'exprimer tes opinions ou tes goûts, que ce soit par peur d'être rejeté par les autres ou par crainte que tes amis ne soient pas d'accord avec toi.

- Même si tu peux t'inquiéter de ce que ta bande pensera de tel ou tel de tes choix, rappelle-toi que **tes amis t'aiment** et **respectent ton individualité**, tout comme tu respectes la leur.

- D'un point de vue vestimentaire, même si tu ne veux pas détonner en ayant un style trop éclaté, il est important de porter des vêtements que tu trouves confortables.

Avec tes amis, il est bien que tu te sentes **toujours à l'aise** avec ce que tu dis et ce que tu fais. Après tout, si tu n'es pas d'accord avec ce que tes amis font, il est tout à fait normal que tu leur en fasses part. **Tu n'as pas à avoir peur d'être jugé ou mis de côté.**

COMMENT ça marche ?

Le harcèlement

Crédit : 79721536 / Shutterstock.com

- Au secondaire, de nombreux adolescents sont victimes de **harcèlement** et d'**intimidation**. Le harcèlement, c'est quand une ou plusieurs personnes s'en prennent gratuitement à toi pour t'embêter et te rendre la vie impossible.

- Qu'il s'agisse d'**attaques physiques** ou **verbales**, le harcèlement peut avoir des conséquences graves, comme la peur de fréquenter certains endroits et une baisse de la confiance en soi.

- Plusieurs facteurs peuvent pousser des gens à pratiquer le harcèlement. Certains cherchent à se venger d'épreuves passées ou éprouvent simplement le besoin de se prouver devant leurs amis ou de se sentir supérieur.

- Le harcèlement a pour effet d'exclure une personne d'une communauté, d'une classe ou d'un groupe d'amis. Il en existe **trois principaux types** : l'intimidation physique, la **violence psychologique** et les **agressions sexuelles**, incluant les allusions déplacées.

Crédit : 1641661 / Shutterstock.com

Si tu es victime de harcèlement, parles-en à une personne de confiance. **Personne n'a le droit de te traiter de la sorte**. La peur et la honte paralysent souvent les victimes, mais tu dois en parler pour que la situation change. Il est très important de dénoncer tes attaquants pour que ceux-ci ne puissent plus te faire de mal ni s'en prendre à d'autres.

COMMENT
ça marche ?

Les parents

Crédit : 23358694 / Shutterstock.com

- La relation avec les parents devient souvent **un peu plus conflictuelle** au cours de la puberté. Tu te sens **plus responsable** et **plus autonome**, mais tu n'es pas encore adulte et tes parents sentent le besoin de te protéger et de t'orienter vers ce qu'il y a de mieux.

- Tes parents ont besoin de temps pour comprendre ton besoin d'indépendance. S'ils désirent en discuter, reste ouvert au dialogue pour les aider à comprendre ce que tu vis.

- En attendant, **évite de couper les ponts** et de **les exclure** complètement de ta vie. La meilleure chose à faire pour leur **prouver que tu es responsable**, c'est de **discuter avec eux** et de faire valoir tes opinions de façon mature.

- Il est important d'**écouter ce que tes parents ont à dire**. Ce n'est pas facile pour eux de te voir grandir et devenir adulte et, contrairement à ce que tu peux croire, ils n'agissent pas de la sorte pour te rendre la vie difficile, mais plutôt parce qu'ils t'aiment.

Surtout, garde en tête que **tes parents ont traversé la puberté**, eux aussi, et que même si tu as l'impression qu'ils ne comprennent pas ce que tu vis, ils en savent sans doute beaucoup plus que ce que tu ne le croies.

COMMENT ça marche ?

Les lignes d'aide

Si tu as besoin de parler de tes problèmes, mais que tu n'as pas envie d'en parler à des gens de ton entourage, tu peux te référer à divers organismes qui viennent en aide à des jeunes comme toi tous les jours. Voici les numéros de téléphone de certains d'entre eux.

Jeunesse, J'écoute : 1 800 668-6868

Les intervenants de *Jeunesse, J'écoute* sont formés pour répondre à des questions de tous genres. Il s'agit d'un service anonyme et ouvert 24 heures sur 24, 7 jours sur 7. Que tu aies des questions sur la sexualité, sur les habitudes de vie, sur les relations ou simplement l'envie de te confier, il y aura toujours quelqu'un là-bas pour t'écouter et répondre à tes questions.

Tel-jeunes : 1 800 263-2266

Tel-jeunes ressemble beaucoup à Jeunesse, J'écoute. C'est un autre organisme où tu peux appeler à toute heure du jour ou de la nuit pour te confier ou poser des questions sur la sexualité, le harcèlement, la vie en société… Ce service est aussi confidentiel.

Gai Écoute : 1 888 505-1010

Gai Écoute est une ligne téléphonique qui offre du soutien aux homosexuels et à leurs proches. Il y aura toujours quelqu'un pour t'écouter, là-bas, si tu as des questions par rapport à ta sexualité ou si tu es victime de préjugés.

Prévention suicide : 1 866 277-3553

Son nom l'indique, il s'agit d'une ligne d'aide pour prévenir le suicide.   Quand il est question de pensées suicidaires, il n'est jamais trop tard pour demander de l'aide. Prévention suicide peut te mettre en contact avec des spécialistes de la santé mentale, comme des psychologues et des thérapeutes.   La ligne téléphonique de Prévention suicide est gratuite et ouverte en tout temps.téléphonique de Prévention suicide est gratuite et ouverte en tout temps.